How to solve a dot-to-dot puzzle

Each puzzle consists of a sequence of 25 numbered dots. The goal is to reveal a hidden picture by connecting each dot in order, starting with 1 and ending with 25.

Start by finding the number 1 and place your pencil on the dot next to it. Draw a line from the dot to the dot next to number 2. Then, without lifting your pencil, draw a line to the dot next to number 3. Continue connecting the dots in numerical order until you reach dot #25 to reveal the hidden picture.

When the puzzle is complete, you are ready to color the drawing you have created!

NUMBERS 1 TO 25

1 2 3 4 5 6 7 8 9 10 11 12 13

14 15 16 17 18 19 20 21 22 23 24

1 2 3 4 5 6 7 8 9 10 11 12 13

8 9 10 12 7 11 13 6 14 15 5 16 17 4 18 3 2 1 19 21 20 23 22 24 25

14 15 16 17 18 19 20 21 22 23 24 25

2 1

3

4

5 20 21 12 13

11 14

22

6 19 23

10

24 15

25

18 16 9

7

17

8

1 2 3 4 5 6 7 8 9 10 11 12 13

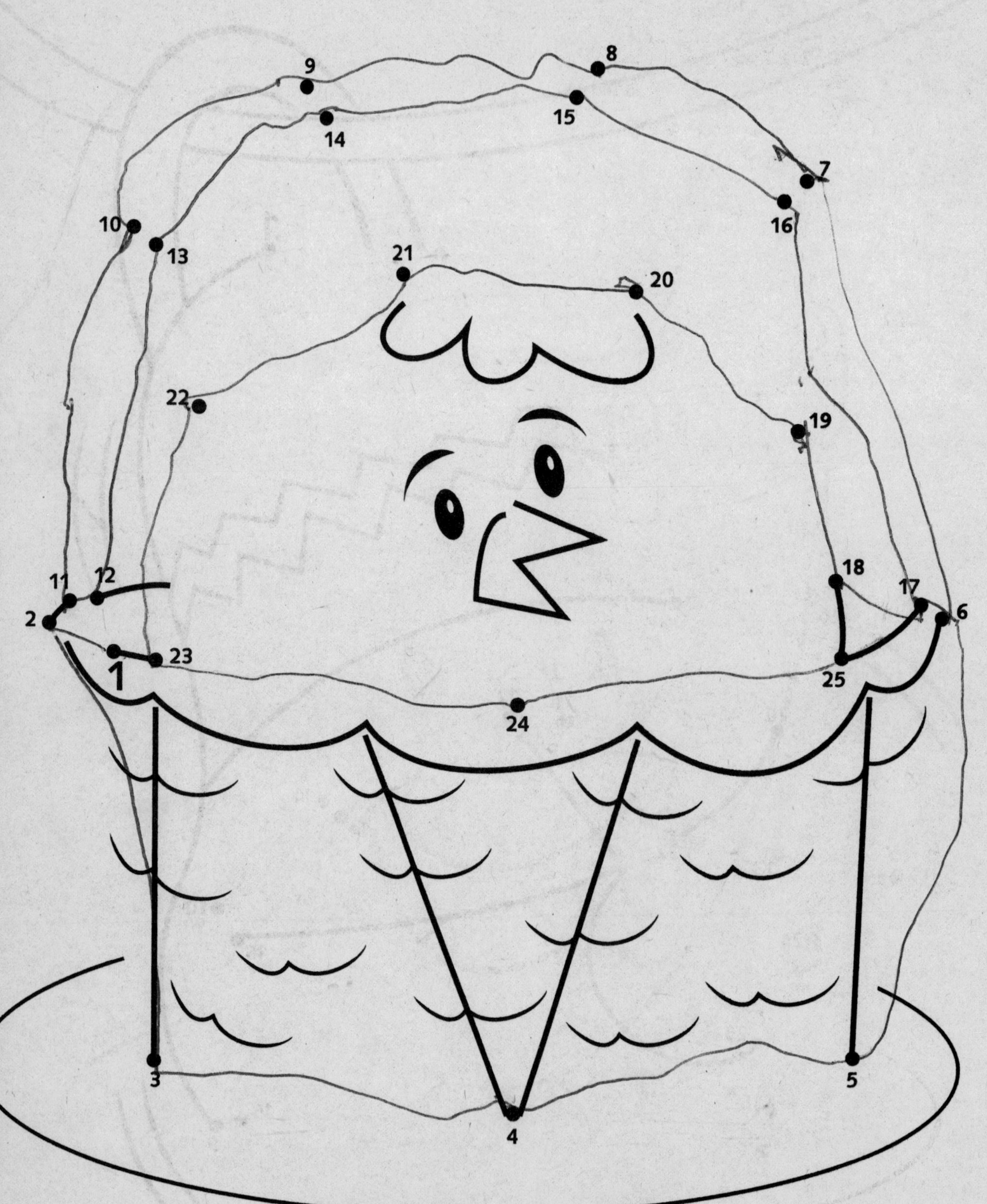

14 15 16 17 18 19 20 21 22 23 24 25

1 2 3 4 5 6 7 8 9 10 11 12 13 14 15 16 17 18 19 20 21 22 23 24 25

1 2 3 4 5 6 7 8 9 10 11 12 13

5
6
4
3
1
2
7
8
10
9
25
16
11
24
12
15
17
14
13
23
18
22
21
19
20

14 15 16 17 18 19 20 21 22 23 24 25

1 2 3 4 5 6 7 8 9 10 11 12 13 14 15 16 17 18 19 20 21 22 23 24 25

1 2 3 4 5 6 7 8 9 10 11 12 13

24 25 1 2 23 3 22 4 21 19 20 18 16 17 5 15 14 10 6 13 12 11 9 8 7

14 15 16 17 18 19 20 21 22 23 24 25

15 14 16 13 17 12 20 19 21 18 22 11 1 25 23 24 10 2 9 3 6 4 5 7 8

1 2 3 4 5 6 7 8 9 10 11 12 13

14 15 16 17 18 19 20 21 22 23 24 25

1 2 3 4 5 6 7 8 9 10 11 12 13 14 15 16 17 18 19 20 21 22 23 24 25

1 2 3 4 5 6 7 8 9 10 11 12 13

1 2 3 4 5 6 7 8 9 10 11 12 13 14 15 16 17 18 19 20 21 22 23 24 25

14 15 16 17 18 19 20 21 22 23 24 25

1 2 3 4 5 6 7 8 9 10 11 12 13
1
2
3
4
5
6
7
8
9
10
11
12
13
14
15
16
17
18
19
20
21
22
23
24
25

14 15 16 17 18 19 20 21 22 23 24 25

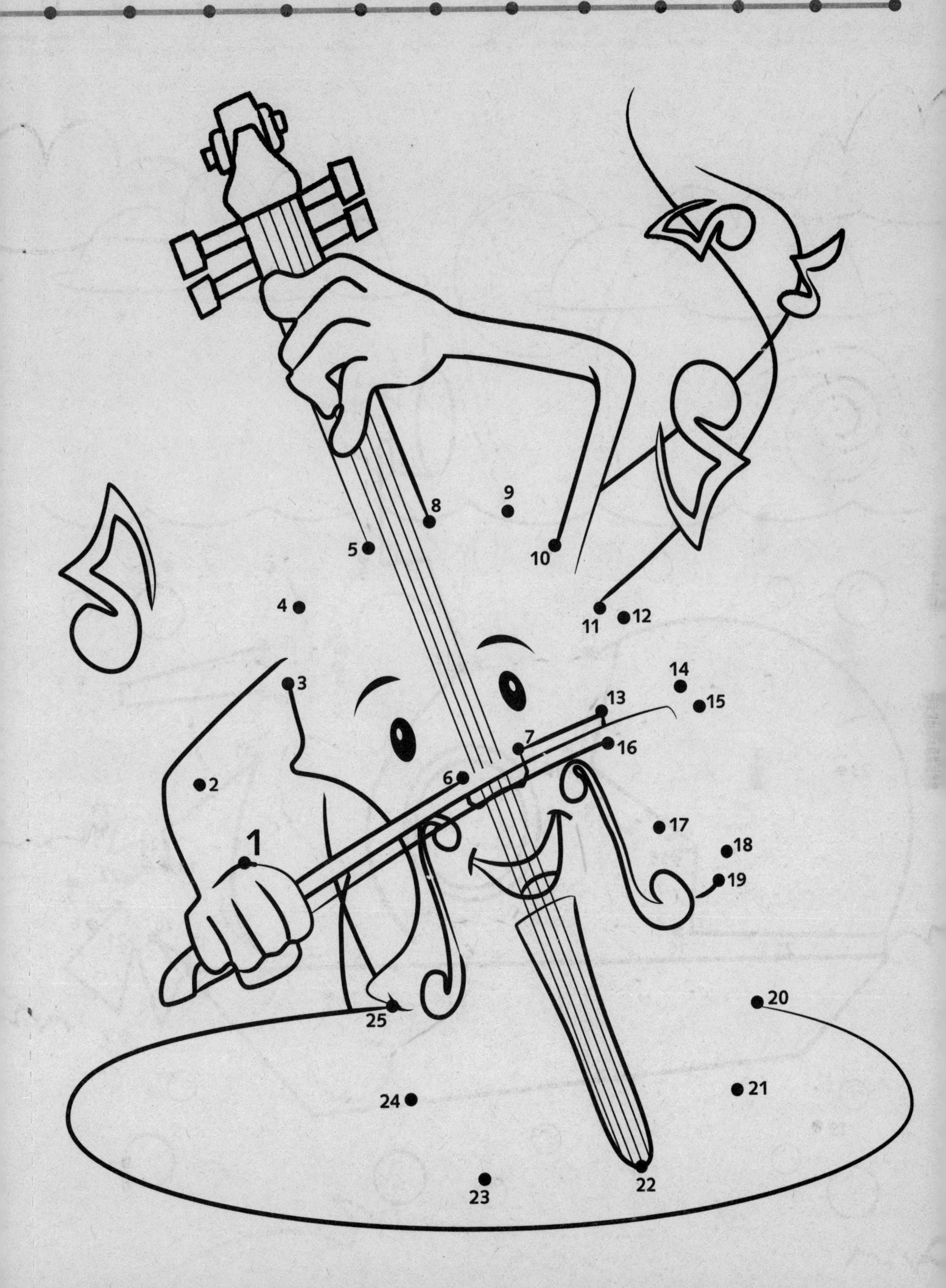

1 2 3 4 5 6 7 8 9 10 11 12 13

14
15
16
17
18
19
20
21
22
23
24
25

1 2 3 4 5 6 7 8 9 10 11 12 13

21
18 20
17 22
19
16
23
15
14
24
25
1
13
2
12 11 10
9
3 4 5 8
6 7

14 15 16 17 18 19 20 21 22 23 24 25

1 2 3 4 5 6 7 8 9 10 11 12 13

14 15 16 17 18 19 20 21 22 23 24 25

1 2 3 4 5 6 7 8 9 10 11 12 13

6

7

14

5

19

8

15 18

4

13

9

16

10

12 17

11

20

1

3

21

2

22

23

25

24

14 15 16 17 18 19 20 21 22 23 24 25

2 3 1

4

5

6

8

7

24 23 19 17

9

20

25 22 18

10 21

14

13

15

11 16

12

1 2 3 4 5 6 7 8 9 10 11 12 13

14 15 16 17 18 19 20 21 22 23 24 25

14 15 16 12 13 17 18 11 10 19 9 20 8 21 7 22 6 23 5 4 24 3 2 1 25

1 2 3 4 5 6 7 8 9 10 11 12 13

13
12
14
11
10
9
15
18
16
17
25
19
23
20
8
22
21
7
3
2
24
4
6
1
5

14 15 16 17 18 19 20 21 22 23 24 25

20

19

23

18

21

22

17

9

1

24

16

15

10

14

2

11

13

12

8

3

25

4

7

6

5

1 2 3 4 5 6 7 8 9 10 11 12 13

14 15 16 17 18 19 20 21 22 23 24 25

1 2 3 4 5 6 7 8 9 10 11 12 13

1
10 2
11
9
3
12
8 14 13 24 23
25
16 15 22 21
4
17
20
5
7 18
19
6

1 2 3 4 5 6 7 8 9 10 11 12 13

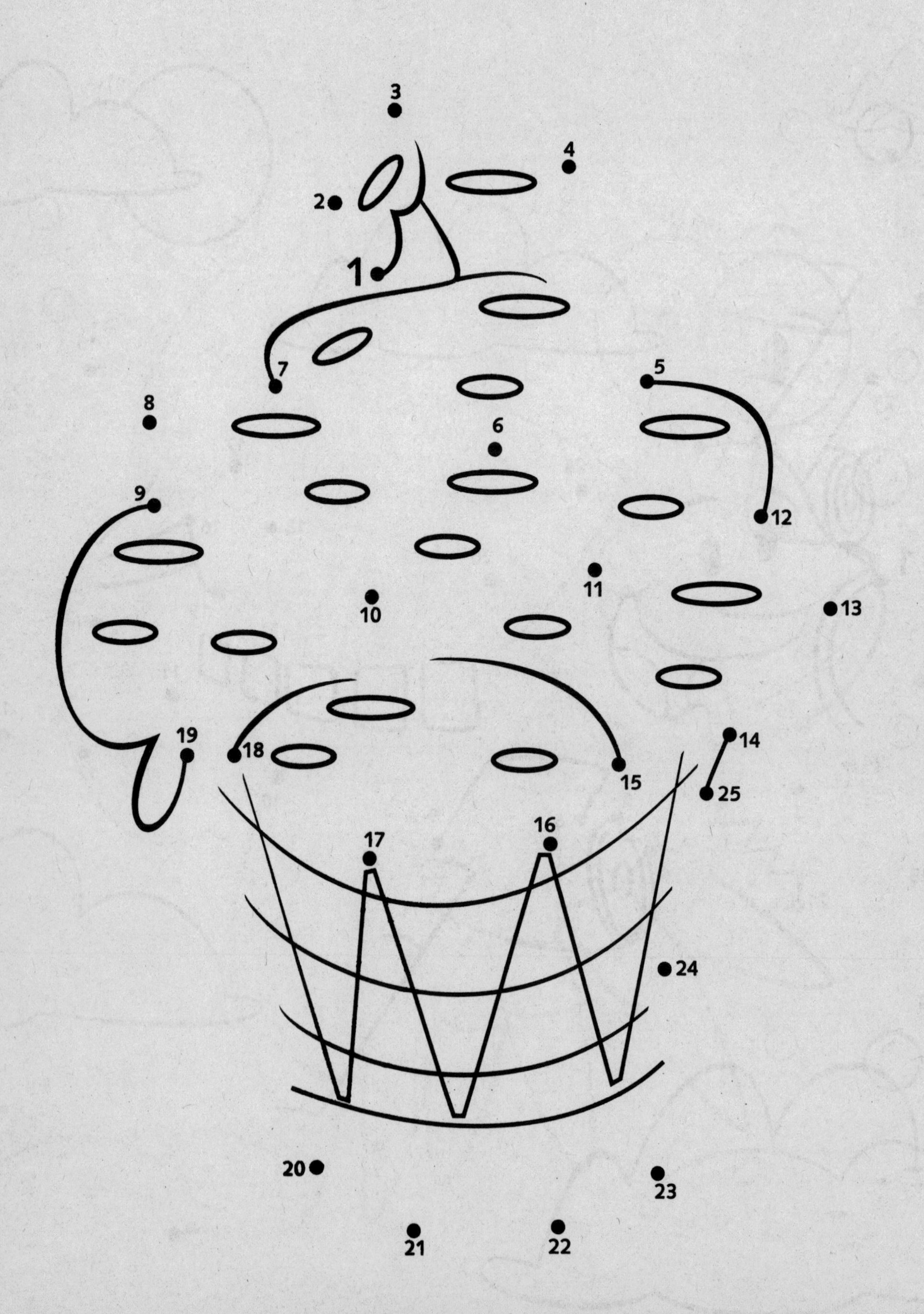

14 15 16 17 18 19 20 21 22 23 24 25

14 15 16 17 18 19 20 21 22 23 24 25

1 2 3 4 5 6 7 8 9 10 11 12 13

1 2 3 4 5 6 7 8 9 10 11 12 13 14 15 16 17 18 19 20 21 22 23 24 25

14 15 16 17 18 19 20 21 22 23 24 25

1 2 3 4 5 6 7 8 9 10 11 12 13 14 15 16 17 18 19 20 21 22 23 24 25

1 2 3 4 5 6 7 8 9 10 11 12 13

9 10

8 11

2 7 12

1 23 3

24 4

6 13 14

21 15

5

22

25

14

16

20 19

17

18

14 15 16 17 18 19 20 21 22 23 24 25

13 9

11

12 10

14 8

2 4

15 7

3

16 17 1 5 6

18 19 21 23 25

20 24

22

1 2 3 4 5 6 7 8 9 10 11 12 13

17

16

18

15

25 24

14
5

4
13

19

20 22

23

6

21

9

7

10 1 8

3

2

12

11

14 15 16 17 18 19 20 21 22 23 24

8 9

10

7

6

5

11

4 20 12

19 18

1 2 21 17 13

3 14

16

25 22

15

23

24

14 15 16 17 18 19 20 21 22 23 24 25

2

1

4 3

25 5

6

24

8

10 7

9

23 11

19 12 13

15 14

22 20

21

18 16

17

1 2 3 4 5 6 7 8 9 10 11 12 13

1
2
24
20
19
23
22
21
3
18
17
25
4
16
15
5
6
7
8
9
10
14
11
12
13

14 15 16 17 18 19 20 21 22 23 24 25

1 2 3 4 5 6 7 8 9 10 11 12 13
1
2
25
13
14
3
4
24
6
12
5
7
15
23
8
11
9
22
16
10
21
17
18
19
20

14 15 16 17 18 19 20 21 22 23 24 25

1 2 3 4 5 6 7 8 9 10 11 12 13

23 17 16 10 15 24 22 11 18 9 8 14 12 19 25 21 1 2 7 3 4 5 13 20 6

14 15 16 17 18 19 20 21 22 23 24 25

1 2 3 4 5 6 7 8 9 10 11 12 13 14 15 16 17 18 19 20 21 22 23 24 25

1 2 3 4 5 6 7 8 9 10 11 12 13

14 15 16 17 18 19 20 21 22 23 24 25

1 2 3 4 5 6 7 8 9 10 11 12 13

14 15 16 17 18 19 20 21 22 23 24 25

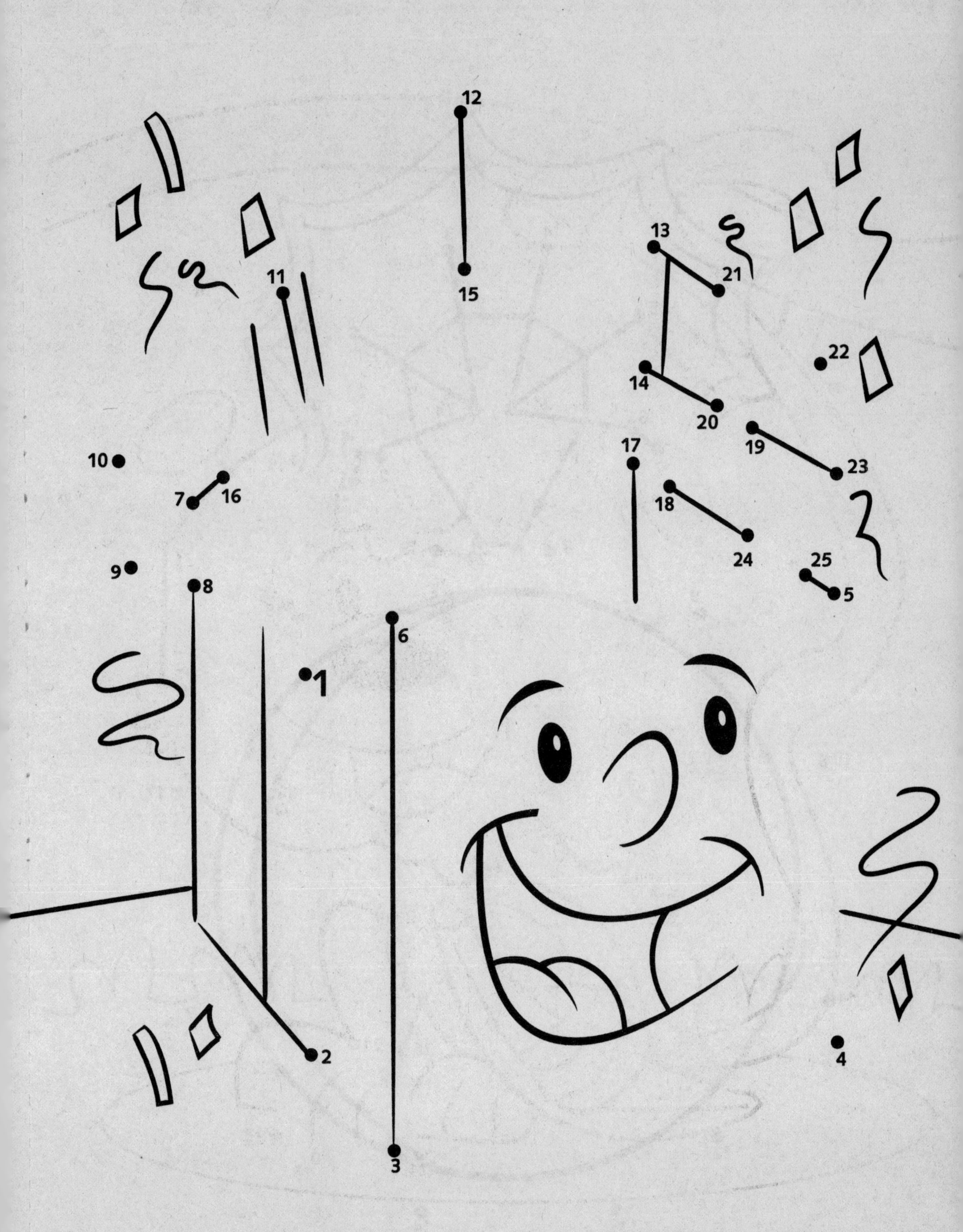

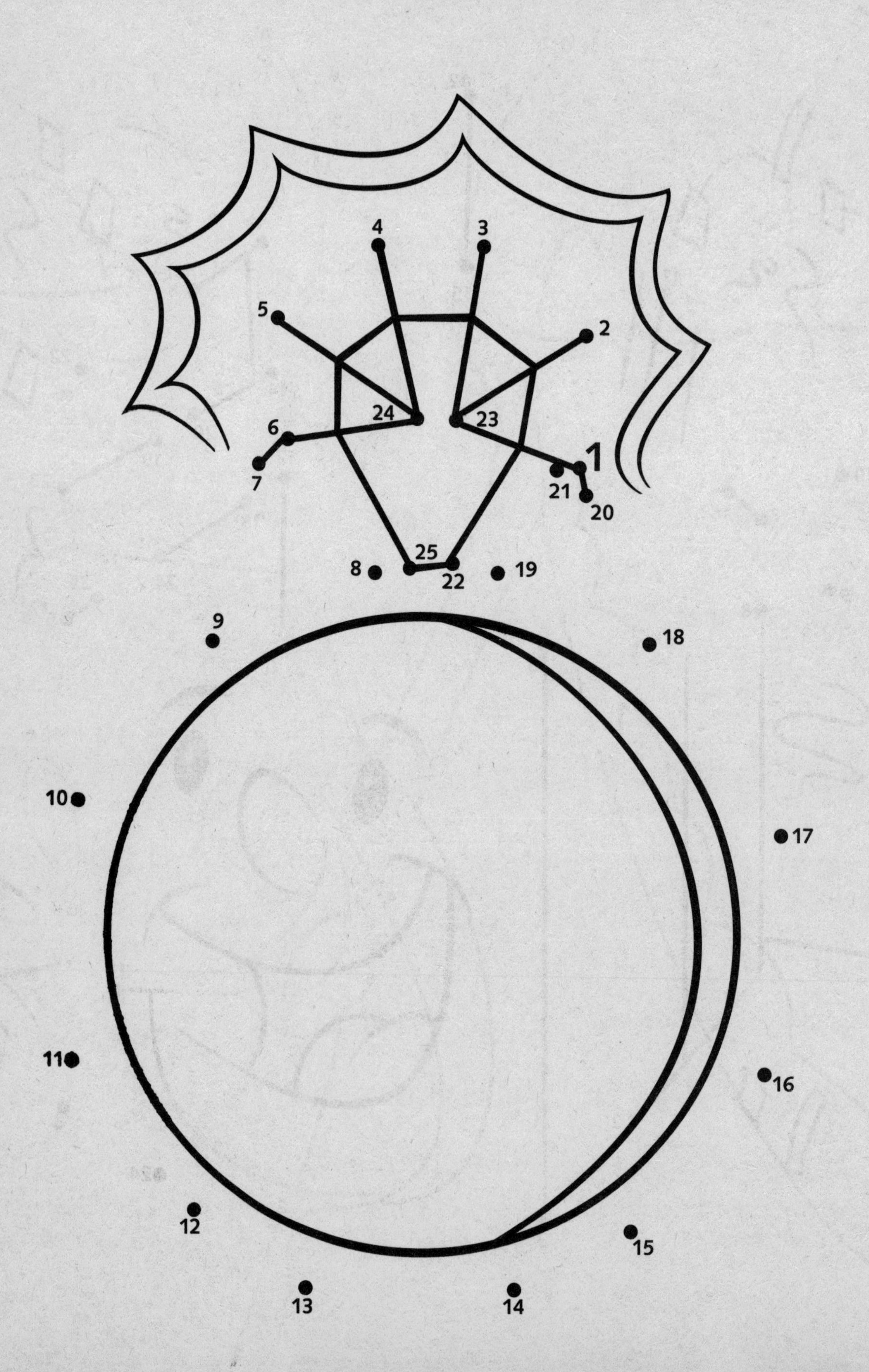

14 15 16 17 18 19 20 21 22 23 24 25

10 5 9 6 4 11 8 7 3 12 2 13 1 16 17 14 18 15 19 20 21 23 22 24 25

1 2 3 4 5 6 7 8 9 10 11 12 13

14 15 16 17 18 19 20 21 22 23 24 25

1 4 9

3 5

2 6 7 8

25

10

21 22

11

24 15

14

19

18 12

17

20

23

16 13

1 2 3 4 5 6 7 8 9 10 11 12 13

4 5

6

2 14 13 3

1

12 15

7

16 11 19

17

8

10 20

18 25

9 21

22

24 23

14 15 16 17 18 19 20 21 22 23 24 25

9 6 5

10 3 1

8 7 4 2

12

11

25

14 24

13

15 23

16

17 22

19 18

20 21

1 2 3 4 5 6 7 8 9 10 11 12 13

14 15 16 17 18 19 20 21 22 23 24 25

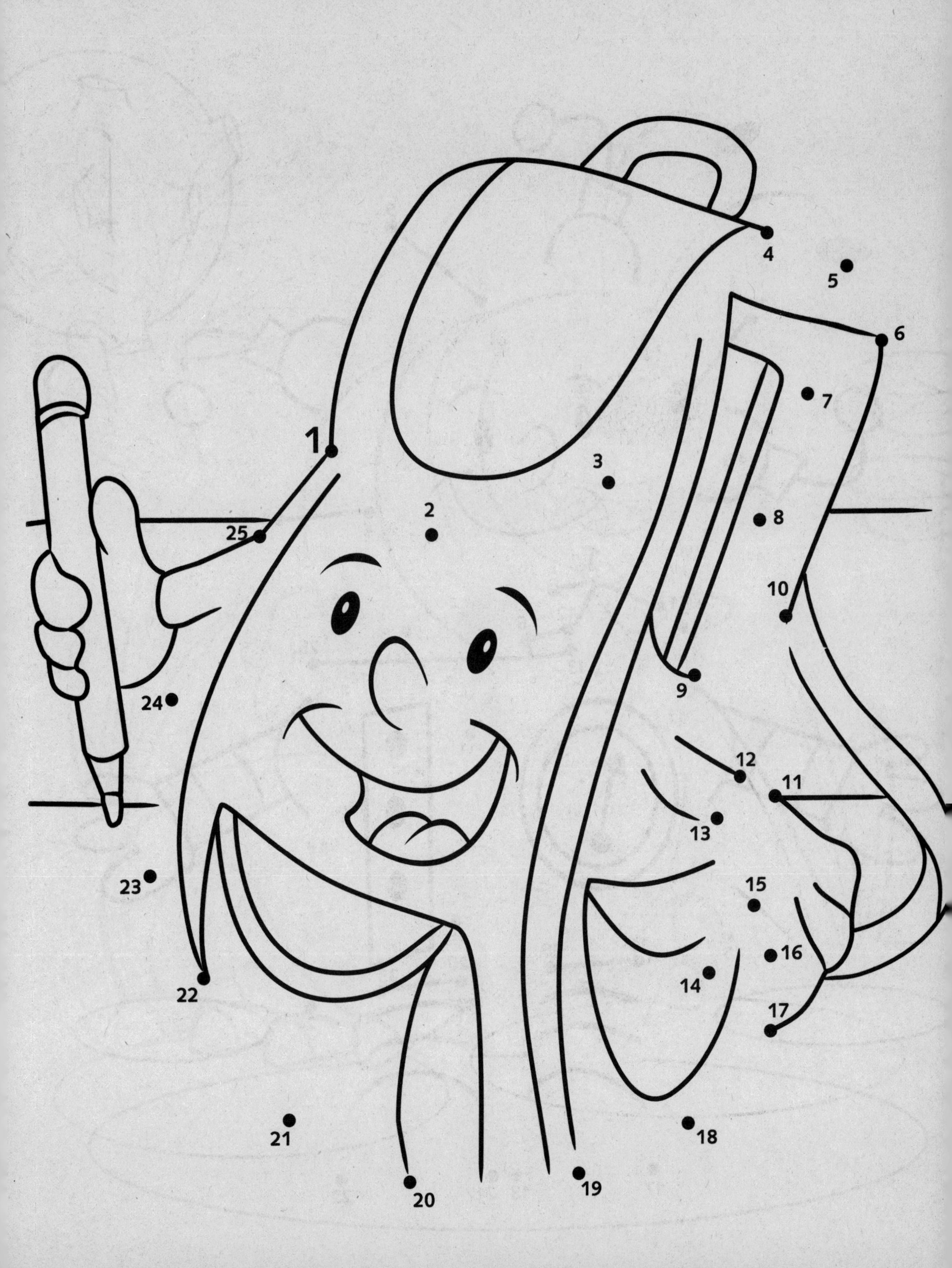

1 2 3 4 5 6 7 8 9 10 11 12 13

9
3
10
2
4 8
1
5
11
14
12
6
7
25
13
15
16 19
20 23
24
17 18 21 22

14 15 16 17 18 19 20 21 22 23 24 25

1 2 3 10 9 11 4 12 5 6 8 16 13 7 15 14 17 19 18 22 20 23 21 24 25

1 2 3 4 5 6 7 8 9 10 11 12 13

21 20 22 14 19 2 1 9 8 3 13 10 23 7 4 24 25 11 5 12 6 17 18 15 16

14 15 16 17 18 19 20 21 22 23 24 25

12 13 11 14 4 3 15 5 2 10 16 6 1 17 9 7 8 25 18 24 19 23 20 22 21

1 2 3 4 5 6 7 8 9 10 11 12 13

14 15 16 17 18 19 20 21 22 23 24 25

9

10

7

11

8

12

6

14 13 1 5

2

17

15 3

16 18

4

22

20

24

23

19

21

25

1 2 3 4 5 6 7 8 9 10 11 12 13
1 2 3 4 5 6 7 8 9 10 11 12 13 14 15 16 17 18 19 20 21 22 23 24 25

14 15 16 17 18 19 20 21 22 23 24 25

1 2 3 4 5 6 7 8 9 10 11 12 13
1
2
3
4
5
6
7
8
9
10
11
12
13
14
15
16
17
18
19
20
21
22
23
24
25

14 15 16 17 18 19 20 21 22 23 24 25

1 2 3 4 5 6 7 8 9 10 11 12 13 14 15 16 17 18 19 20 21 22 23 24 25

1 2 3 4 5 6 7 8 9 10 11 12 13

14 15 16 17 18 19 20 21 22 23 24 25

1

12

10

11

2

9

3

13

8

14

7

4

6

25

5

15

24

23

20

16

22

21

19

17

18

1 2 3 4 5 6 7 8 9 10 11 12 13

7

9 8

6 5

12 10 4

11 1

3 2

13

14

16

15 18 19

17

20

25

21

24

22

23

14 15 16 17 18 19 20 21 22 23 24 25

8 9 10 7 25 11 6 12 2 1 24 3 13 4 23 14 5 15 16 22 17 18 21 19 20

1 2 3 4 5 6 7 8 9 10 11 12 13
4
3
5
2
1
6
7
8
9
10
17
12
24
16
11
18
23
25
15
19
13
14
22
21
20

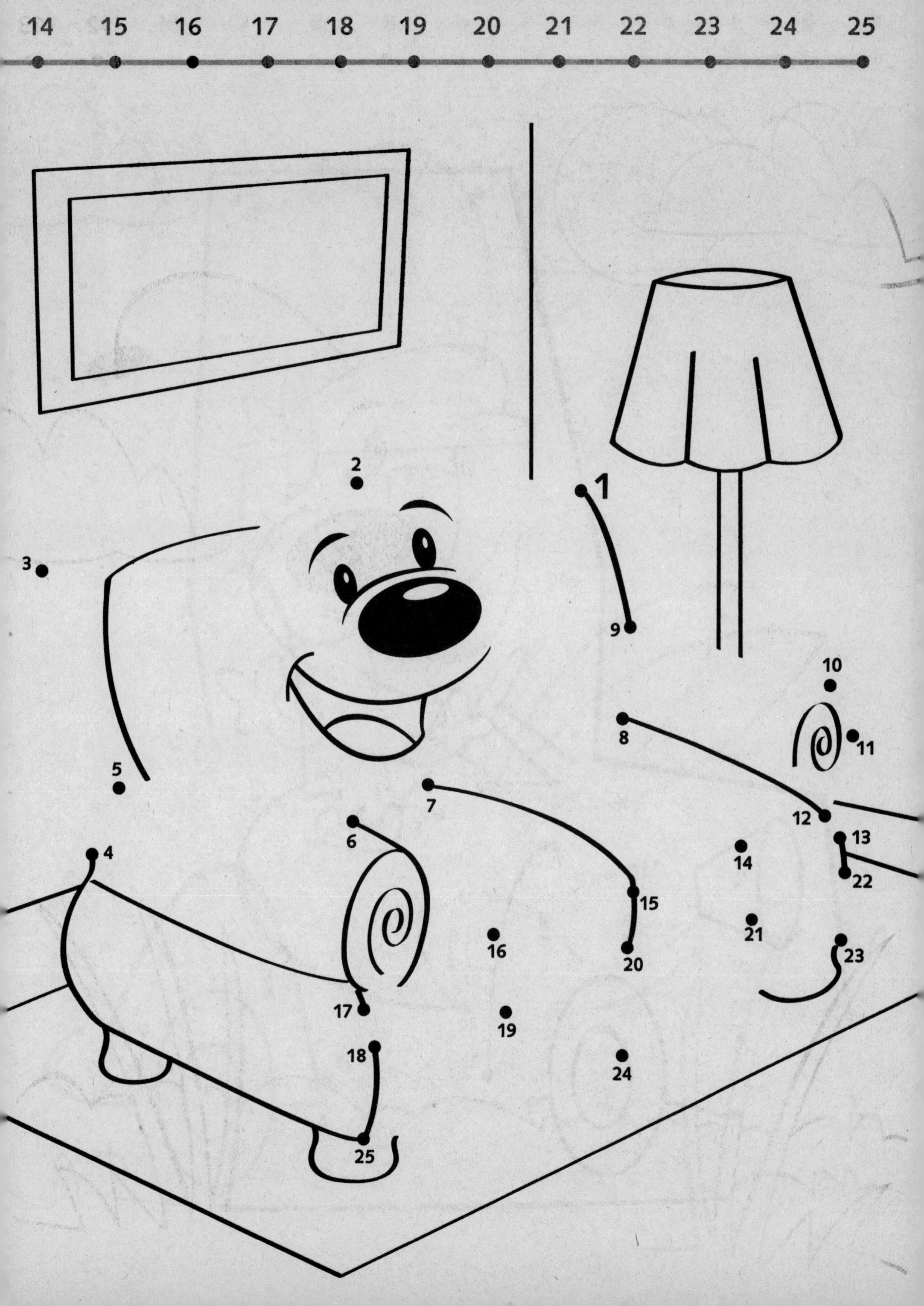

14 15 16 17 18 19 20 21 22 23 24 25

1 2 3 4 5 6 7 8 9 10 11 12 13
17 18
16 19
1
24 25 21 20
14 15
9 8
4
5
12 3 2
13 23 22
11 10 7 6

14 15 16 17 18 19 20 21 22 23 24 25

1 2 3 4 5 6 7 8 9 10 11 12 13

14 15 16 17 18 19 20 21 22 23 24 25

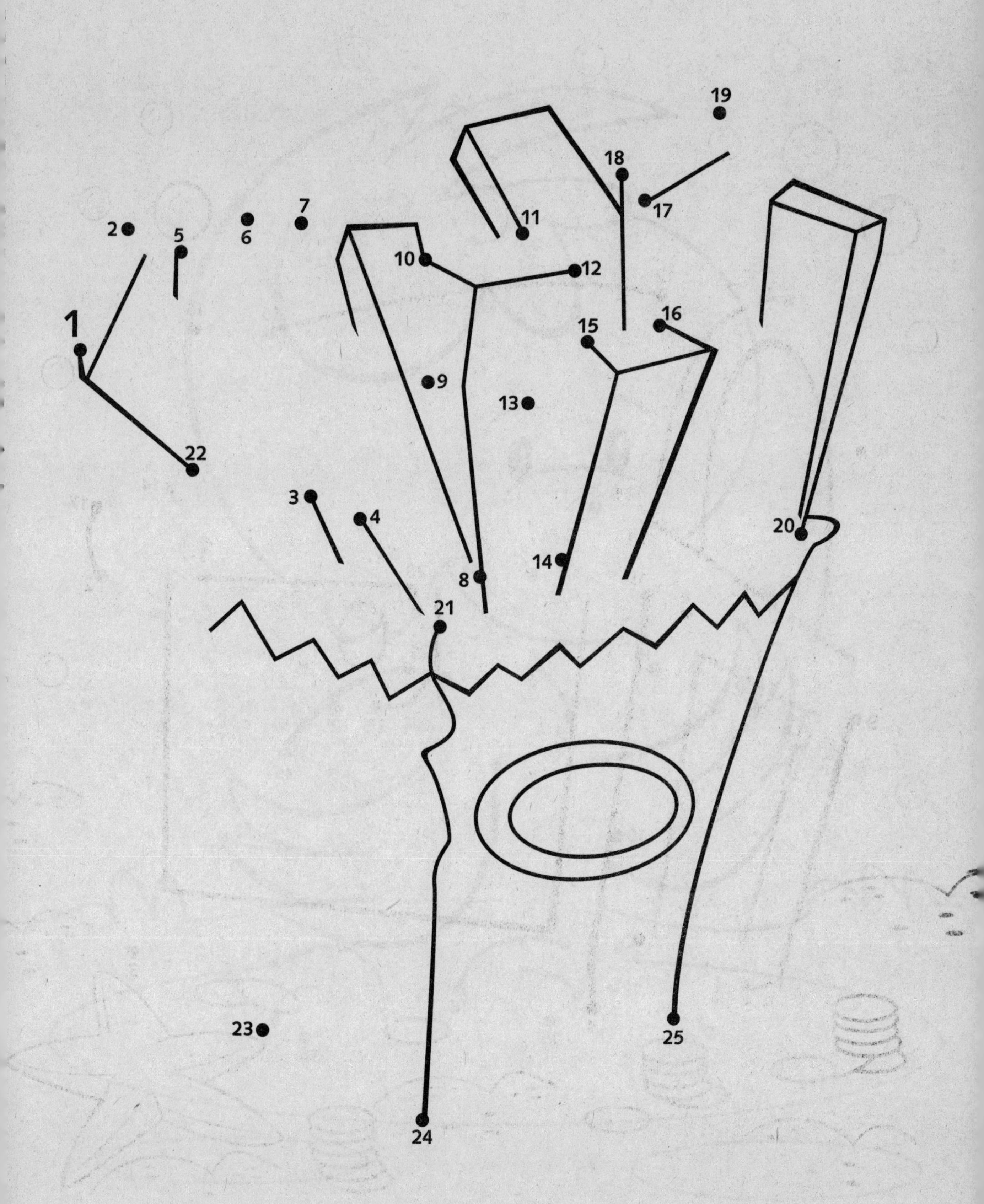

1 2 3 4 5 6 7 8 9 10 11 12 13

14 15 16 17 18 19 20 21 22 23 24 25

18

17 19

25

20

16

24

1

15 22 21

14 13 23

11 3

12 2

10 4

8

7

9 5

6

1 2 3 4 5 6 7 8 9 10 11 12 13

2
3
1
4
5
6
7
8
9
19
16
18
10
17
20
11
15
12
14
13
21
25
22
24
23

14 15 16 17 18 19 20 21 22 23 24 25

13
2
12
1
5
25
11
9
14
10
8
6
4
3
7
24
15
23
16
17
22
18
19
21
20

1 2 3 4 5 6 7 8 9 10 11 12 13

25 24 23 22 21 20 18 19 17 16 13 12 14 15 9 11 10 3 1 8 2 4 7 5 6

14 15 16 17 18 19 20 21 22 23 24 25
1 2 3 4 5 6 7 8 9 10 11 12 13 14 15 16 17 18 19 20 21 22 23 24 25

1 2 3 4 5 6 7 8 9 10 11 12 13
1
2
3
4
5
6
7
8
9
10
11
12
13
14
15
16
17
18
19
20
21
22
23
24
25

14 15 16 17 18 19 20 21 22 23 24 25

25 8 7
9
23 10
24 6
5
21
22 4
11
3 2
20
19 12
18 13
1
17 14
16 15

1 2 3 4 5 6 7 8 9 10 11 12 13

8 7 6 9 4 5 10 3 11 2 12 1 13 25 14 15 24 16 23 17 22 18 21 19 20

14 15 16 17 18 19 20 21 22 23 24 25

1 2 3 4 5 6 7 8 9 10 11 12 13

1 2
3
25
24 4
23 20
22 19
18
21 5
6
17 8
7
15
16
9
14 13 11
10
12

14 15 16 17 18 19 20 21 22 23 24 25

20

11 19

13 12 21 1

14 10 18 22

2

23

15 9 17

3

24

16 8 7 25

6 4

5

1 2 3 4 5 6 7 8 9 10 11 12 13